Para Roser Capdevila,
con cariño y amistad.

Tomás era un muñeco
de madera. Aunque tenía la nariz
grande, no solía decir mentiras.
A Tomás le gustaba mojarse
los pies en el río,
dormir sobre la hierba
las noches de luna llena,
comer sentado
a la sombra de un árbol…

Pero, sin duda,
lo que más le gustaba
era estar con sus amigos.

Tenía tres: una muñeca,
un tren y una pelota.
Pasaban casi todo el día
juntos: inventaban
historias, jugaban,
reían, cantaban…

Al llegar la noche,
la oscuridad no les asustaba
porque dormían tan cerca
uno del otro que,
sólo con moverse un poco,
podían tocarse.

Por la mañana,
quien primero abría los ojos,
despertaba al resto. Cada uno
lo hacía a su manera.

Si era Tomás,
con voz suave decía:

—Amigos, ¡vamos!
Es hora de jugar.

Cuando era la muñeca,
repetía entusiasmada
la única palabra
que sabía pronunciar:
—¡MAMÁ! ¡Mamá!
¡MAMÁ! ¡Mamá!
En cambio, si era la pelota,
daba botes y más botes.
No paraba hasta ver
a sus amigos con los ojos
bien abiertos.
El tren era el más dormilón,
pero, en alguna ocasión, también
se despertaba el primero.
Entonces, daba vueltas
por las vías,
mientras hacía sonar su silbato.

Cierta vez, el tren madrugó
tanto que el día
estaba naciendo.
El sol asomaba lentamente,
llenando el horizonte
de luz y colores.
El tren quedó
tan impresionado
que no pudo mover sus ruedas,
ni hizo sonar su silbato,
ni fue capaz de mirar otro cosa
que no fuera el horizonte.

«¿Qué habrá detrás?»,
se preguntó, lleno de curiosidad.
Y ya no pudo quitarse esa
idea de la cabeza.
Por ello, pasaba horas muy quieto,
con la mirada perdida
en la distancia.
No le apetecía jugar, ni reír…
Es más, por las noches
le costaba dormir.
No paraba de preguntarse:
«¿Qué habrá detrás
del horizonte?».

Hasta que un día,
armándose de valor,
tuvo un plan: «Iré a verlo
con mis propios ojos».

Claro que no iba a ser fácil,
pues él estaba acostumbrado
a andar sobre las vías, y éstas,
como formaban un círculo,
nunca lo llevarían hasta allí.

«Aprenderé a caminar
sin ellas», pensó el tren.
Consiguió mantenerse
sobre las ruedas y avanzar.

Aunque resultó
más complicado
de lo que imaginaba.

Entonces,
se despidió de sus amigos:
quería ponerse en camino
cuanto antes.
—Buena suerte
—le deseó Tomás.

La pelota dio tres botes,
luego se acercó a Tomás
y se quedó muy quieta.

La muñeca miró al tren,
miró al horizonte y dijo:

—¡Mamá!

Y, sin más, se montó
en el tren.

El horizonte estaba
demasiado lejos y la muñeca
no quería que su amigo recorriera
ese camino solo.

Era media mañana
cuando el tren
se puso en marcha.

Tomás y la pelota
los siguieron con la mirada.
Se sentían muy raros,
como perdidos,
sin saber qué hacer.

—Vayamos al río
—propuso Tomás,
pues pensó que un buen baño
les sentaría bien.

Pero ni el baño,
ni revolcarse sobre la hierba,
ni el sabor de un fruto maduro
les ayudó a alegrarse.

No dejaban de pensar
en sus amigos y,
cuanto más lo hacían,
más los echaban de menos.

Tomás creía que,
con el paso del tiempo,
sus males se curarían.
Pero no fue así.

Los días pasaban
y él estaba cada vez
más raro.

Tenía tan mal humor
que se enfadaba
por cualquier cosa.

La pelota,
tratando de animarle,
se ponía a botar.

Él la miraba muy serio y decía:

—¿Es que no puedes
estarte quieta?

Entonces, la pelota
se quedaba tan quieta
como una piedra.

Al cabo de un rato,
Tomás la miraba de reojo
y exclamaba:
    —¡Eres muy aburrida!
Te pasas el día durmiendo.

La pelota no respondía.
¿Para qué?
Ella sabía lo que le pasaba
al muñeco de madera.

«Está muy triste»,
decía para sus adentros.

Y era cierto.

De pronto, a la pelota
se le ocurrió una idea.
Cogió un buen trozo de papel
y un lápiz, y los dejó junto
a los pies de Tomás.

Tomás miró el papel
en blanco, el lápiz…
y sintió ganas de dibujar.
Rápidamente,
se puso manos a la obra.

Se dibujó a sí mismo
junto a la pelota.
En el lado opuesto,
dibujó al tren y la muñeca.

Cuando terminó,
miró fijamente el dibujo.
Al observar la distancia
que le separaba del tren
y la muñeca, suspiró apenado.
    «¿Cuándo volverán?
Me gustaría que estuvieran
aquí», pensó.
    En ese momento descubrió
que a su lado había unas tijeras.
Eran de un color tan extraño
y brillaban tanto
que Tomás se dijo:
«Deben de ser mágicas».

La expresión de su rostro
cambió por completo.
De pronto,
se le veía ilusionado.
No era para menos:
si las tijeras eran mágicas,
podría cortar el espacio que
le separaba de sus amigos.
Dándose prisa,
cortó el trozo de papel
donde estaba dibujado
él con la pelota.

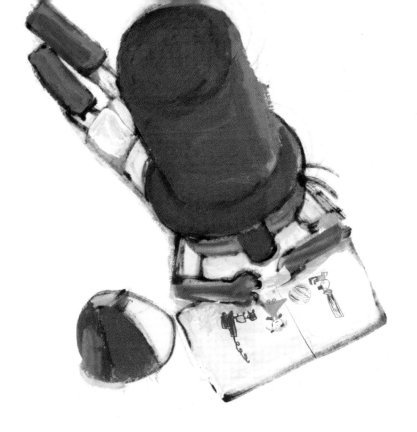

Luego, aquél en el que aparecían
la muñeca y el tren.

Con celo unió los dos trozos y…

—¡Ya está! —exclamó Tomás,
mirando el dibujo con ojos
brillantes.

¡Volvían a estar los cuatro juntos!

Si el truco funcionaba, no tardaría en hacerse realidad. El tren y la muñeca pronto aparecerían por allí.

Tomás se puso de pie y paseó la mirada.

«¿Cómo es que tardan tanto?», se preguntó.

Esperó y esperó, pero el tren y la muñeca no regresaron.

Al comprender que su plan
no había dado resultado,
Tomás cerró los ojos.

Al hacerlo,
sucedió algo fantástico.
Vio al tren y la muñeca
dando vueltas en su interior.
Iban de la cabeza a la barriga,
de allí al corazón, y después
enfilaban hacia la cabeza.

A veces, avanzaban
a paso lento; a veces,
caminaban muy rápido,
mientras el tren
hacía sonar su silbato.

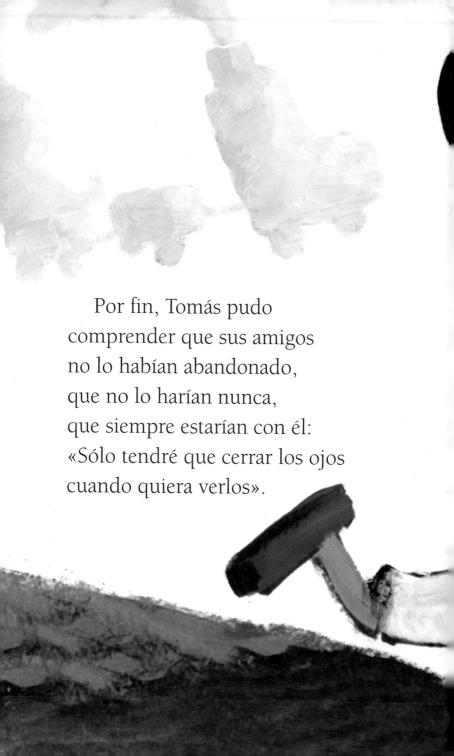

Por fin, Tomás pudo
comprender que sus amigos
no lo habían abandonado,
que no lo harían nunca,
que siempre estarían con él:
«Sólo tendré que cerrar los ojos
cuando quiera verlos».

Y fue como si
las tijeras hubieran
cortado su tristeza
en trocitos muy pequeños
hasta hacerla desaparecer.

Tomás recuperó su alegría,
su buen humor,
sus ganas de jugar…
—¡Vamos! —dijo a la pelota.
Y sin prisas, se encaminaron
hacia el río.
Después de tantos sobresaltos,
le apetecía sentarse a la orilla
y mojarse los pies.